Die Zauberflöte

Die Geschichte von Emanuel Schikaneder,
aus der Mozart seine Oper machte

Nacherzählt von Margaret Greaves
Mit Bildern von Francesca Crespi

Aus dem Englischen von
Jessica Schmitz

Deutscher Taschenbuch Verlag

Titel der englischen Originalausgabe: ›The Magic Flute‹,
erschienen bei Methuen Children's Books Ltd., London

Für das St. John's Wood Opern-Ensemble

Ungekürzte Ausgabe
Mai 1991
Deutscher Taschenbuch Verlag GmbH & Co. KG, München
© für die Illustrationen: 1988 Francesca Crespi
© für den Text: Margaret Greaves
Alle deutschen Rechte bei Carlsen Verlag GmbH, Hamburg 1989
ISBN 3-551-51406-2
Umschlaggestaltung: Celestino Piatti
Umschlagbild: Francesca Crespi
Gesamtherstellung: Kösel, Kempten
Printed in Germany · ISBN 3-423-07990-8

Die Zauberflöte ist Mozarts letzte Oper.
Sie wurde am 30. September 1791, zwei Monate
vor seinem Tod, in Wien zum ersten Mal
aufgeführt. Sie hatte großen Erfolg und ist bis heute
eine der beliebtesten Opern.

Eines Tages jagte Prinz Tamino in einem fremden
Wald. Da bäumte sich plötzlich eine gräßliche
Schlange vor ihm auf. Tamino hatte keine Pfeile
mehr, und so mußte er fliehen. Die Schlange
verfolgte ihn so lange durch Dornen und Dickicht,
bis er vor Erschöpfung in Ohnmacht fiel.
In diesem Augenblick erschienen drei geheimnis-
volle, schwarzverschleierte Damen, die silberne
Wurfspieße trugen.
»Stirb, Ungeheuer!« riefen sie.

Sie durchbohrten die Schlange, die tot niedersank.
Die Damen betrachteten Tamino, den sie gerettet
hatten.
»Wie sanft und schön er ist!« sagten sie. »Wir wollen
unserer Königin von ihm erzählen. Vielleicht kann
er ihr die Ruhe wiedergeben, die sie verloren hat.«

Die Damen eilten davon. Als Tamino wieder zu
sich kam, sah er ein sonderbares Wesen. Es war
ganz mit Vogelfedern bedeckt und spielte munter
auf einer Panflöte.

»Wer bist du?« fragte der Prinz erstaunt.

»Ich bin Papageno, der Vogelfänger. Ich fange
Vögel für die Königin der Nacht und ihre
Damen. Dafür bekomme ich Wein, Zuckerbrot
und süße Feigen.«

»Sag mir, hast du die Königin jemals gesehen?«

»Die sternflammende Königin? Kein menschli-
ches Auge kann den Schleier aus Finsternis
durchdringen, der sie umgibt.«

Tamino sah die tote Schlange vor sich liegen und
sagte:»Doch du bist sicher ein Übermensch.
Wie hast du die Schlange getötet, so ganz ohne
Waffen?«
 »Schlange? Welche Schlange? Ach so, die da –
ich hab sie erwürgt.«
Sofort waren die drei Damen wieder da.
»Papageno!« riefen sie tadelnd.
»Heute schickt dir die Königin statt Wein nur
reines, helles Wasser.«
»Und statt Zuckerbrot nur einen Stein.«
»Und statt der süßen Feigen nur dieses Schloß.«
Und sie hängten Papageno ein goldenes Schloß
vor den Mund, damit er keine Lügen mehr erzäh-
len konnte.

»Mein Prinz«, sagten die Damen. »Wir waren es, die dich befreiten.«

Sie gaben ihm das Bild eines schönen jungen Mädchens. »Hier, dies schickt dir unsere große Königin. Das ist ihre Tochter Pamina, die ihr von einem mächtigen, bösen Dämon geraubt wurde. Sein Name ist Sarastro. Er hält Pamina in seiner Burg gefangen.«

Tamino fand das Bildnis wunderschön. Er verliebte sich auf der Stelle in Pamina. »Ich werde sie befreien!« rief er. »Sagt mir, wo dieser Tyrann zu finden ist.«

»Sehr nah bei unseren Bergen, in einem sonnigen Tal. Seine Burg ist prachtvoll. Aber sie wird streng bewacht.«

Plötzlich donnerte es, und tiefe Nacht brach herein.

»Sie kommt, sie kommt«, riefen die Damen.

In einer finsteren Wolke, in der tausend Sterne
aufblitzten, erschien die Königin der Nacht.
»Fürchte dich nicht, edler Tamino«, sagte sie.
»Du hast von meinem Kummer gehört. All meine
Tränen vermögen nichts gegen den bösen Sarastro.
Nur du allein kannst Pamina retten. Bringst du sie
zurück, so wird sie auf ewig dein sein.«

Dunkle Wolken schlossen sich um die Gestalt der
Königin, und sie verschwand. Als es wieder hell
wurde, kam der arme Papageno angelaufen. Er bat
Tamino um Hilfe, doch »hm, hm, hm, hm« war
alles, was er sagen konnte.
Tamino konnte das Schloß nicht öffnen, doch bald
darauf befreiten die drei Damen den Vogelfänger.

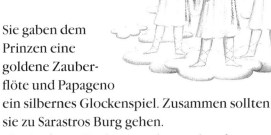

Sie gaben dem
Prinzen eine
goldene Zauber-
flöte und Papageno
ein silbernes Glockenspiel. Zusammen sollten
sie zu Sarastros Burg gehen.
»Drei schöne Knaben werden euch auf eurem
Weg beschützen und begleiten«, versprachen
die Damen.
Tamino und Papageno nahmen Abschied und
machten sich auf den Weg.

Tamino wartete auf die drei Knaben, aber Papageno lief schon in die Burg. Er kam in einen
prächtigen Saal. Dort saß ein bleiches Mädchen.
Sie schien sehr traurig zu sein.
Papageno trat näher heran. Plötzlich stand er
einem schwarzen Mann gegenüber. Beide
erschraken sehr.
»Ein Teufel!« kreischte Papageno.
»Ein Teufel!« schrie der schwarze Mann und lief
davon.

Dieser Mohr, Monostatos genannt, war Paminas
grausamer Wächter. Als er weggelaufen war, faßte
Papageno wieder Mut.

»Bin ich nicht ein Narr, daß ich mich schrecken
ließ?« sagte er. »Es gibt ja schwarze Vögel in der
Welt; warum nicht auch schwarze Menschen?«

Er erzählte Pamina, daß ihre Mutter einen jungen
Prinzen ausgeschickt hatte, um sie zu retten, und
daß der Prinz sie schon liebte.

Darauf erwachte auch in Paminas Herz die Liebe
zu Tamino, der ausgezogen war, sie zu befreien.

Das machte Papageno traurig. Auch er wünschte
sich schon lange sehnlichst eine kleine Papagena
zum Liebhaben.

Er nahm Pamina bei der Hand, und sie liefen
schnell aus dem Saal.

Inzwischen waren die drei Knaben erschienen
und hatten Tamino vor die drei Türen eines
prachtvollen Tempels geführt. In der mittleren
Tür erschien ein ehrwürdiger Priester. »Was
suchst du hier, Fremdling?« fragte er.
»Wahrheit und Liebe«, antwortete Tamino.
»Dann tust du recht, hierherzukommen«, sagte der
Priester. »Doch Wahrheit und Liebe kannst du
nicht finden, wenn du an Rache denkst.«
»Noch nicht einmal Rache an einem Tyrannen?«
»Hier wohnt kein Tyrann«, sagte der Priester streng.
»Aber das ist doch die Burg Sarastros?«

»Sarastro«, sagte der Priester, »ist kein böser
Dämon. Er beschützt Pamina vor dem schlimmen
Einfluß ihrer Mutter, der Königin der Nacht.
Paminas Vater war lange ein Mitglied unserer
Bruderschaft. Pamina lebt und ist in Sicherheit.«
Voller Freude spielte Tamino auf seiner Zauber-
flöte, und die wilden Tiere des Waldes kamen
herbei, um ihm zuzuhören.

Da hörte Tamino aus der Ferne Papagenos
Panflöte. Vielleicht hat er Pamina schon gesehen?
dachte Tamino voller Hoffnung. Er blies
auf seiner Zauberflöte, und Papagenos Flöte
antwortete. Da begannen Tamino und Papageno,
den Flötenstimmen zu folgen, um einander
wiederzufinden.

Aber auch Monostatos war im Wald und suchte
mit einigen Sklaven nach Pamina und Papageno.
Als er sie fand, war Pamina zu Tode erschrocken.
»Legt sie in Ketten«, befahl Monostatos.
Doch Papageno ließ sein Glockenspiel ertönen,
und da mußten die Diener tanzen und singen. Sie
sangen: »Das klinget so herrlich, das klinget so
schön. Nie hab ich so etwas gehört und gesehn.«

Das Glockenspiel wurde vom Schall der Trompeten übertönt, und viele Stimmen riefen: »Es lebe
Sarastro, Sarastro soll leben!«
Sechs mächtige Löwen zogen seine Kutsche
heran.
Pamina warf sich Sarastro zu Füßen. »Verzeih
mir!« bat sie. »Nur weil Monostatos so böse zu mir
war, wollte ich entfliehen.«
Sarastro verzieh Pamina. Aber er ließ sie nicht zu
ihrer Mutter zurückkehren.

»Sprich nicht mehr von ihr!« sagte er. »Sie ist böse
und tückisch und will nur dein Glück zerstören.«
Während Sarastro noch sprach, eilte Monostatos
erneut herbei und schleppte Tamino mit sich.
Als die jungen Liebenden sich sahen, umarmten
sie einander vor Glück.
Aber Sarastro trennte sie streng. »Tamino!« sagte
er. »Du mußt zuerst viele Prüfungen bestehen,
bevor du in die Bruderschaft des Tempels aufge-
nommen werden kannst. Erst dann kannst du
Pamina gewinnen.«
Der Prinz war bereit, für seine Liebste alles auf
sich zu nehmen.

Monostatos hatte eine Belohnung dafür erwartet, daß er Paminas Flucht verhindert hatte. Statt dessen wurde er entlassen und bekam noch siebenundsiebzig Sohlenstreiche zur Strafe für seine Bosheit.

Voller Rachelust schlich er sich bei Nacht in den Tempelgarten, wo Pamina schlief. Als er in ihre Nähe kam, erschreckte ihn ein plötzlicher Donnerschlag.

Aus der Dunkelheit erschien die Königin der Nacht und verjagte Monostatos.

Pamina erwachte und rief: »Mutter! O meine Mutter!«

»Mein Kind, wo ist der Jüngling, den ich dir sandte?«
»Er will der Bruderschaft des Tempels beitreten.«
»Unglückliche Tochter, so hab ich dich auf ewig
verloren, wenn du nicht stark bist. Hier, dieser
Dolch ist für Sarastro geschliffen. Du mußt ihn
töten.«
Sie gab Pamina einen langen Dolch und verschwand
wieder in der Dunkelheit.
Pamina war vor Schreck erstarrt. Da hörte sie die
Töne der Zauberflöte, und sie dachte: Tamino wird
mir helfen und mich trösten.

Wie bitter aber war ihr Schmerz, als sie ihn fand. Die erste Prüfung des Prinzen war nämlich ein Schweigegebot. Die Damen der Königin hatten schon versucht, ihn davon abzubringen. Aber er hatte widerstanden. So sagte er auch jetzt kein Wort zu Pamina, und weinend ging sie davon.

Der arme Papageno war auch sehr unglücklich. Er fror und war einsam, hatte Hunger und Durst. Zum Trost spielte er ein wenig auf seinem Glockenspiel. Wenn er doch nur ein liebes Mädchen fände!

Da hörte Papageno das Klopfen eines Stockes. Ein altes, häßliches Weib kam auf ihn zu. Sie trug einen Becher in der Hand.

»Sag mal, Alte, ist der Becher für mich?« fragte Papageno hoffnungsvoll.

»Für dich, mein Engel.«

Papageno trank hastig. »Wie alt bist du eigentlich, Großmutter?«

»Achtzehn Jahr und zwei Minuten.«

»Achtzig Jahr und zwei Minuten?«

»Achtzehn Jahr und zwei Minuten.«

»Und hast du schon einen Freund?« fragte Papageno erstaunt.

»I freilich.«

»Ist er auch so jung wie du?«
»Er ist um zehn Jahre älter.«
»Wie nennt er sich denn, dein Freund?«
»Papageno.«
»Papageno - *ich* wär dein Freund?«
»Ja, mein Engel. Papageno, versprich mir, mich zu
heiraten, oder du mußt auf ewig hierbleiben.«
Sehr zögernd gab Papageno der Alten die Hand.
Doch plötzlich stand ein junges Mädchen vor ihm,
mit Federn bedeckt, ganz wie er selbst.
»Papagena!« rief er.
Doch da lief sie in die Nacht davon, und er rannte
schnell hinterher.

Pamina war voller Verzweiflung. Ihre Mutter und
auch Tamino hatten sie verlassen. Sie erhob den
Dolch, um ihn sich selbst ins Herz zu stoßen.

»Halt ein!« riefen die drei
Knaben. Sie waren ihr zu
Hilfe geeilt.
»Tamino liebt dich noch«,
sagten sie. »Seine Liebe
wird dich beschützen
und alle Gefahren über-
winden.«

Sie führten Pamina zu Tamino. Jetzt sollten sie die
Prüfungen gemeinsam bestehen.

Vor ihnen waren zwei eiserne Pforten: Die eine
führte zu einem feuerspeienden Berg, die andere
zu einem Berg, von dem ein reißender Wasserfall
herabstürzte.

Mutig traten die Liebenden durch die erste Pforte
und gingen durch das Feuer. Tamino spielte auf
seiner Zauberflöte, und Pamina folgte ihm auf
dem Fuße.

Dann schritten sie durch den schrecklichen
Wasserfall, aber die Zaubermusik beschützte
sie in aller Gefahr.
Da hörten sie Trompeten und freudigen Gesang
aus dem Tempel: »Triumph, Triumph, o edles
Paar! Euer Mut hat gesiegt. Die Pforten sind offen.
Tretet ein!«

Papageno wanderte immer noch verzweifelt
umher und rief nach seiner geliebten Papagena.
»Papagena! Wo bist du? Habe ich dich für immer
verloren?«
Er hatte einen Strick gefunden und überlegte, ob
er sich aufhängen sollte. Aber er hatte Angst und
wollte erst bis drei zählen: »Eins, zwei … «
»Halt ein !« riefen die drei Knaben, die ihm im
rechten Moment zu Hilfe kamen. »Dummer Papageno, hast du dein Glockenspiel vergessen? Es
wird dein Liebchen zu dir bringen!«

Als die Glöckchen
erklangen, kam
Papagena angesprun-
gen. Vor Freude tanzten
sie zusammen wie zwei
glückliche Vögel.
Beim Tanz sangen sie:

»Pa-pa-pa-pa-pa-Papagena!«
»Pa-pa-pa-pa-Papageno!«
»Nun so sei mein liebes Weibchen!«
»Nun so sei mein Herzenstäubchen!«
»Viele Kinder werden wir haben ...«
»Erst einen kleinen Papageno ...«
»Dann eine kleine Papagena ...«
»Dann wieder einen kleinen Papageno, dann
wieder eine kleine Papagena.«
»Viele kleine Papagenos, viele kleine Papagenas
werden unsere Freude sein!«

Während Papageno und Papagena ihr Liedchen
sangen, war es tiefe Nacht geworden. Monostatos,
die Königin der Nacht und ihre Damen schlichen
die Tempelstufen hinauf. Sie machten einen letzten
Versuch, Sarastro zu vernichten.
Doch plötzlich strahlte Licht aus dem Tempeltor,
und Sarastro erschien in seiner ganzen Majestät.

Donner rollte und Blitze zuckten.

»Oh!« rief die Königin. »Wir sind zerschmettert und vernichtet. Wir stürzen zurück in die ewige Nacht!«

Schwarze Wolken umhüllten sie und ihr Gefolge. Sie verschwanden für immer. Die Macht des Lichts hatte über sie gesiegt.

Nun leuchtete der Tempel in strahlendem Glanz, und die Priester versammelten sich um Sarastro.

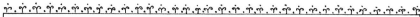

Die drei Knaben brachten Blumengirlanden für
Tamino und Pamina, die nun glücklich vereint
waren.
Ein großer Lobgesang erklang. Er pries den
Triumph des Lichts über die Finsternis.